Era uma vez uma viúva que vivia de maneira muito simples, em uma casinha perto da floresta com seu único filho, João. O menino cuidava de uma pequena horta e de uma vaca, que era o único bem da família.

A situação estava difícil: eles não tinham o que comer, a vaca emagrecia e quase não dava mais leite.

A mãe, muito triste, mas sem outra alternativa, pediu para João levar a vaca ao mercado e vendê-la.

Na estrada, um velho ofereceu a João três feijões mágicos pelo animal. O menino aceitou na hora, pois parecia ser um ótimo negócio.

Ao chegar em casa, feliz da vida, ele contou tudo para a mãe, que ficou furiosa:

— Você foi enganado! O que vamos comer? Três grãos de feijão não matam nem a nossa fome de hoje!

Então, ela os atirou pela janela, e os dois foram dormir cedo, para enganar a fome.

Pela manhã, João se surpreendeu ao ver no jardim um pé de feijão gigante, que logo começou a escalar.

Depois de horas, quando estava quase chegando às nuvens, apareceu uma linda fada, que disse:

— João, o seu pai era um homem rico e bondoso, mas um gigante que fingia ser amigo roubou todo o ouro dele e o levou para um castelo perto daqui.

JOÃO FICOU ESPANTADO COM A HISTÓRIA DA FADA, E AGORA ENTENDIA POR QUE SUA MÃE EVITAVA FALAR DO PAI, QUE ELE JAMAIS IMAGINOU QUE HAVIA SIDO UM HOMEM RICO.

O GAROTO SEGUIU O CAMINHO INDICADO ATÉ O CASTELO, BATEU À PORTA E FOI ATENDIDO PELA MULHER DO GIGANTE:

— O QUE VOCÊ FAZ AQUI? MEU MARIDO NÃO TOLERA CRIANÇAS. SE TE PEGAR, VOCÊ VAI VIRAR O JANTAR DELE.

— POR FAVOR, PRECISO DE UM LUGAR PARA PASSAR A NOITE. ESTOU PERDIDO E FAMINTO. LOGO VAI ESCURECER E MORREREI DE FRIO E FOME. — IMPLOROU JOÃO.

— MAS SE MEU MARIDO SENTIR O SEU CHEIRO, VOCÊ JÁ ERA. — RETRUCOU A MULHER.

— ENTÃO, ESCONDA-ME NO FORNO, ELE SE CONFUNDIRÁ COM O CHEIRO DO JANTAR.

A MULHER CONCORDOU, MAS COM A CONDIÇÃO DE QUE JOÃO TERIA QUE IR EMBORA BEM CEDO.

O GIGANTE CHEGOU E FOI LOGO DIZENDO:

— MULHER, ESTOU FAMINTO! TRAGA LOGO MEU JANTAR — E COMPLETOU — FI-FA-FO-FUM! SINTO CHEIRO DE CRIANÇA NO AR!

— CRIANÇA? É O CHEIRO DA CARNE DO ALMOÇO DE AMANHÃ.

ENTÃO, A MULHER SERVIU O JANTAR, QUE DARIA PARA ALIMENTAR CEM PESSOAS, E O GIGANTE COMEU TUDO. DEPOIS, ELE MANDOU QUE A ESPOSA TROUXESSE SUA PATA MÁGICA.

O GIGANTE ORDENOU PARA A BELA AVE:
— BOTE UM OVO! RÁPIDO!
E, NO MESMO INSTANTE, ELA BOTOU UM OVO DE OURO.
— AGORA BOTE OUTRO E MAIS OUTRO...
JOÃO FICOU MARAVILHADO E PENSOU:
— COM UMA PATA ASSIM, MINHA MÃE E EU NUNCA MAIS PASSARÍAMOS FOME.
NO DIA SEGUINTE, BEM CEDINHO, JOÃO PEGOU A AVE, SAIU SORRATEIRAMENTE DO CASTELO, CAMINHOU ATÉ O PÉ DE FEIJÃO E DESCEU ATÉ CHEGAR AO QUINTAL.

— FILHO, POR ONDE VOCÊ ANDOU? EU ESTAVA TÃO PREOCUPADA! — DISSE A MÃE, TODA FELIZ AO VER JOÃO.

O MENINO MOSTROU A PATA E FALOU:

— BOTE UM OVO, MAIS UM E OUTRO!

EM SEGUIDA, MÃE E FILHO SE ABRAÇARAM EMOCIONADOS AO VER AQUELES OVOS DE OURO.

NOS MESES SEGUINTES, OS DOIS VIVERAM UMA VIDA FARTA E MUITO FELIZ. AFINAL, AQUELES OVOS GARANTIAM O SUSTENTO E O CONFORTO DA FAMÍLIA.

MAS JOÃO NÃO SE ESQUECIA DAS PALAVRAS DA FADA. POR ISSO, RESOLVEU SE VINGAR DO GIGANTE E PEGAR DE VOLTA TODO O OURO ROUBADO DE SEU PAI.

No dia seguinte, logo cedo, João passou tinta no corpo todo para se disfarçar e saiu antes de sua mãe acordar. Ele escalou o pé de feijão e novamente caminhou até o castelo do gigante.

Quando a mulher abriu a porta, o menino pediu:

— Senhora, preciso de um lugar para passar a noite. Estou em viagem, mas, como há muitos animais por estas bandas, é perigoso demais dormir ao relento.

— Sinto muito, menino. Meu marido adora devorar crianças, e a última que abriguei era um ladrão que nos roubou um animal muito especial. E eu levei toda a culpa pelo sumiço — respondeu a mulher.

João ficou com dó, mas queria recuperar o que era de sua família. Ele tanto implorou, que a mulher cedeu.

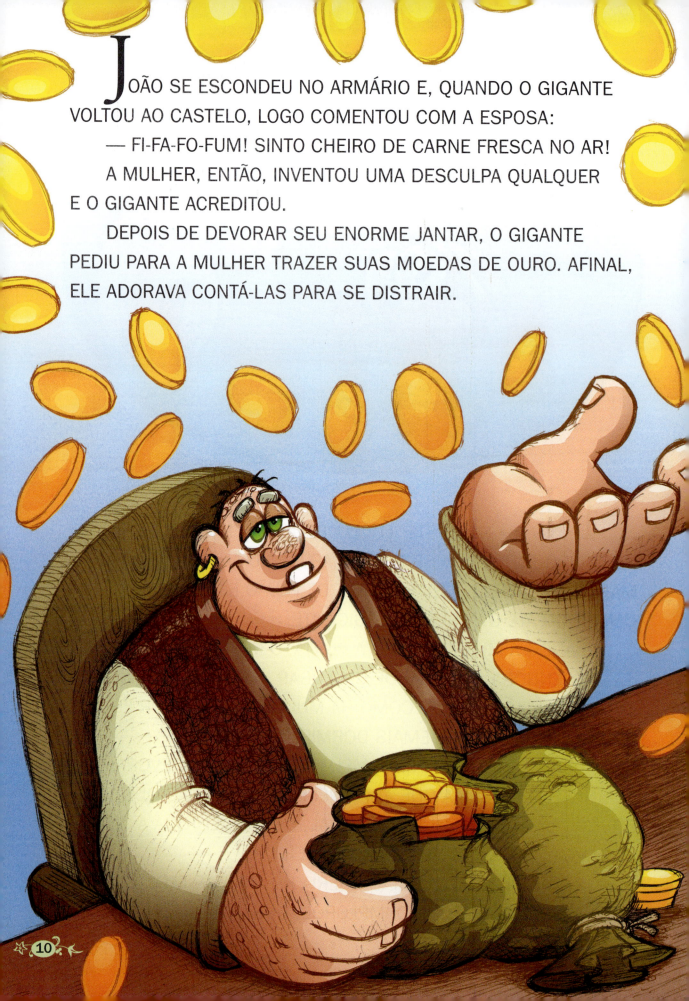

João se escondeu no armário e, quando o gigante voltou ao castelo, logo comentou com a esposa:

— Fi-fa-fo-fum! Sinto cheiro de carne fresca no ar!

A mulher, então, inventou uma desculpa qualquer e o gigante acreditou.

Depois de devorar seu enorme jantar, o gigante pediu para a mulher trazer suas moedas de ouro. Afinal, ele adorava contá-las para se distrair.

Imediatamente, a mulher trouxe dois grandes sacos cheios de moedas, e o marido passou horas jogando-as para cima e contando, até adormecer.

João aproveitou o sono profundo do gigante, juntou todas as moedas e fugiu com o ouro.

Quando João chegou em casa com aquela fortuna, sua mãe ficou espantada e o garoto contou toda a história sobre o gigante.

A mãe ficou muito preocupada e alertou o filho para ficar longe do gigante, pois era muito perigoso!

Mas João não parava de pensar no que o gigante havia tirado de seu pai e resolveu fazer uma última visita. Logo cedo, ele escalou de novo o pé de feijão.

Desta vez, teve muito trabalho, pois entrou escondido, quando a mulher deixou a porta aberta. Afinal, ela não seria enganada uma terceira vez.

João sentiu remorso, mas só queria recuperar o que era da sua família. Ele se escondeu embaixo da estante da sala e, quando o gigante chegou, logo disse:

— Fi-fa-fo-fum! Sinto cheiro de criança no ar! Tenho certeza de que está escondida em algum lugar.

O gigante procurou, procurou, mas não achou. Então, sentou e comeu o seu jantar. Depois, pediu para a mulher trazer sua harpa mágica, pois queria ouvir música.

Fascinado com a harpa, que tocava e cantava lindamente, João decidiu levá-la. Quando o gigante dormiu, o garoto saiu do esconderijo e pegou a harpa, mas o instrumento era muito fiel ao dono e gritou:
— Socorro! Socorro! Estou sendo roubada!

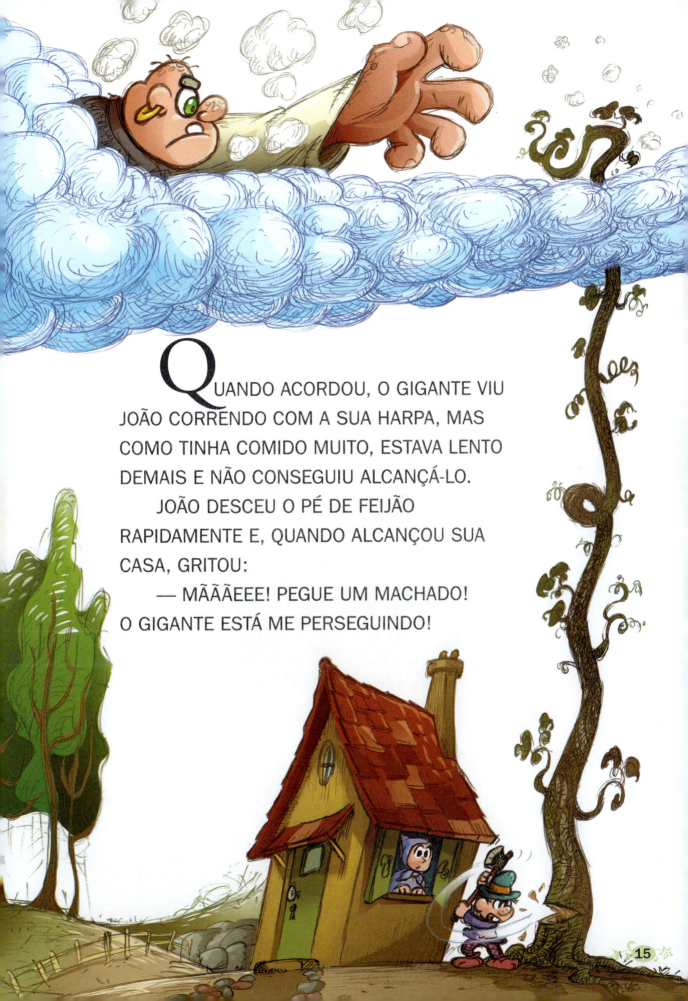

Quando acordou, o gigante viu João correndo com a sua harpa, mas como tinha comido muito, estava lento demais e não conseguiu alcançá-lo.

João desceu o pé de feijão rapidamente e, quando alcançou sua casa, gritou:

— MÃÃÃEEE! PEGUE UM MACHADO! O GIGANTE ESTÁ ME PERSEGUINDO!

Então, o garoto cortou o pé de feijão, e o gigante, para não se estatelar no chão, voltou para o seu castelo nas nuvens.

Depois disso, finalmente, João e sua mãe conseguiram viver felizes para sempre.